Superação

Seja forte e resiliente para vencer as dificuldades

AUGUSTO CURY
O PSIQUIATRA MAIS LIDO DO MUNDO

Superação
Seja forte e resiliente para vencer as dificuldades

Principis

Esta é uma publicação Principis, selo exclusivo da Ciranda Cultural
© 2022 Ciranda Cultural Editora e Distribuidora Ltda.

Texto
© Augusto Cury

Editora
Michele de Souza Barbosa

Preparação
Walter Sagardoy

Revisão
Fernanda R. Braga Simon

Produção editorial
Ciranda Cultural

Diagramação
Linea Editora

Design de capa
Ana Dobón

Imagens
ABCDstock/shutterstock.com

Dados Internacionais de Catalogação na Publicação (CIP) de acordo com ISBD

C982c	Cury, Augusto
	Superação: Seja forte e resiliente para vencer as dificuldades / Augusto Cury. - Jandira, SP : Principis, 2022.
	64 p. ; 15,50cm x 22,60cm. (Augusto Cury)
	ISBN: 978-65-5552-731-5
	1. Autoajuda. 2. Inteligência emocional. 3. Emoções. 4. Controle. 5. Autoconhecimento. 6. Comportamento. 7. Psicologia. I. Título. II. Série.
2022-0398	CDD 158.1
	CDU 159.92

Elaborado por Lucio Feitosa - CRB-8/8803

Índice para catálogo sistemático:
1. Autoajuda : 158.1
2. Autoajuda : 159.92

©2022 Dreamsellers Pictures Ltda.
www.augustocury.com.br

1ª edição em 2022
www.cirandacultural.com.br
Todos os direitos reservados.
Nenhuma parte desta publicação pode ser reproduzida, arquivada em sistema de busca ou transmitida por qualquer meio, seja ele eletrônico, fotocópia, gravação ou outros, sem prévia autorização do detentor dos direitos, e não pode circular encadernada ou encapada de maneira distinta daquela em que foi publicada, ou sem que as mesmas condições sejam impostas aos compradores subsequentes.

Dedico este livro a alguém especial.

*Que sua vida seja um canteiro de oportunidades.
E, quando você errar o caminho, não desista.
Saiba que ser feliz não é ser perfeito,
Mas usar suas lágrimas para irrigar a tolerância,
Usar seus erros para corrigir suas rotas,
Usar suas perdas para refinar sua paciência.
É criticar menos e apostar muito mais.
É dar sempre uma nova chance para si e para os outros.
Ser feliz é aplaudir a vida mesmo diante das vaias.*

Sumário

1. Resiliência: a força da proteção emocional — 10

2. Seis princípios para nutrir a resiliência — 20

3. Um homem intensamente resiliente — 30

4. Inteligência socioemocional: alicerçando a resiliência — 36

5. O desespero de Darwin — 44

6. Compromissos inesquecíveis — 52

Referências — 59
Sobre o autor — 61

Capítulo 1

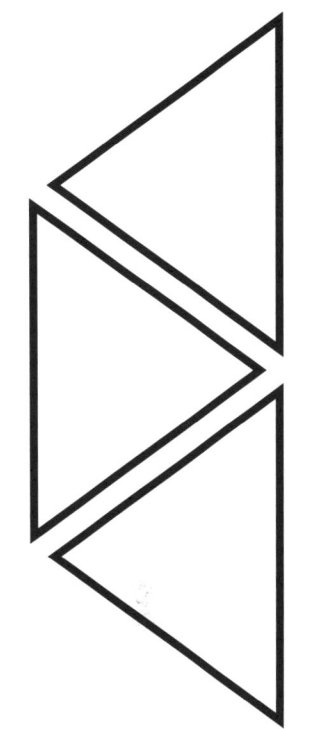

Resiliência: a força da proteção emocional

Sem resiliência, o ser humano não tem pele emocional, não tem proteção. Sua mente é terra de ninguém: qualquer estímulo estressante a invade, fere, encarcera e asfixia suas habilidades. Não se mede a segurança de um indivíduo por sua eloquência ou pelo dinheiro, poder político ou guarda-costas que tem. A segurança de cada um de nós é medida pela capacidade do Eu em ser resiliente.

Alguns multimilionários sentem-se protegidos por andar em carros blindados, ter inúmeros seguranças, morar em condomínios ultravigiados. Têm pavor de sequestros e de assaltos. O que não sabem é que já são assaltados, já são vítimas de sequestros. Como? São assaltados pelo medo, sequestrados pela ansiedade, confinados pelas preocupações. Sua desprotegida emoção facilmente é encarcerada.

Por isso nunca andei com seguranças, nem nas minhas conferências. Quando os organizadores colocam diversos seguranças para me proteger, eu os dispenso. Sou um simples ser humano que precisa do contato com as pessoas, que precisa proteger-se dos fantasmas mentais. Nossos maiores inimigos, nós os criamos.

Mas o que significa ser resiliente? Eis a grande questão. Muito se fala sobre a resiliência em todo o teatro social, mas poucos compreendem suas dimensões e complexidade.

SUPERAÇÃO

Resiliência é uma ferramenta multifocal para:

1. Atravessar com dignidade os acidentes da vida

Muitos atravessam crises, perdas, dificuldades, mas não o fazem com dignidade. Revoltam-se, blasfemam, agridem, punem. A construção da resiliência, em primeiro lugar, passa pelo Eu, que representa nossa consciência crítica e nossa capacidade de escolha, de ter uma postura digna diante das adversidades. Sem tal postura, não elaboramos as experiências dolorosas. Sofrer torna-se inútil. Postura digna diante da dor significa: não deixar de sofrer, mas minimizar o sofrimento; não deixar de se estressar, mas gerenciar o estresse; nem muito menos deixar de se desesperar, mas domesticar o desespero para crescer.

2. Usar a dor para nos construir, e não para nos destruir

Resiliência é usar a dor para lapidar a paciência, usar a angústia para refinar a tolerância, usar a ansiedade para fomentar a esperança. Muitos registram janelas traumáticas diante das ofensas, perdas, calúnias, injustiças. É normal. Mas gravitar em torno dessas janelas é doentio. Chafurdar na lama do passado leva-nos a desenvolver a necessidade neurótica de remoer mágoas e frustrações. Acabamos por nos tornar reféns, e não autores, de nossa história.

3. Ter consciência de que a vida é um grande contrato de risco sem cláusulas definidas

A vida é um espetáculo imperdível, a maior de todas as aventuras do Universo, mas é também um grande contrato de risco. Estar vivo é submeter-se a curvas imprevisíveis e acidentes inevitáveis.

Por mais precavidos que sejamos, por mais dosados que nos comportemos, cedo ou tarde vivenciaremos contrariedades e crises que não foram causadas por nós. Desenvolver resiliência não é evitar chorar, mas usar as lágrimas para irrigar a sabedoria, a paciência. Não é desistir da vida, mas gritar no silêncio de que os melhores dias estão por vir.

4. **Não culpar os outros pelas derrotas, mas desenvolver flexibilidade diante das adversidades**

Quem culpa os outros por seus fracassos, perdas e falências não cresce nas adversidades. Quem se agride quando sofre asfixia sua capacidade de superação. Quem reage pelo sistema cartesiano, pelo fenômeno ação-reação, tornando-se agressor ou predador de quem ama quando atravessa suas crises, não desenvolve maturidade. Resiliência é abraçar mais e julgar menos, compreender mais e cobrar menos, perdoar-se mais e punir-se menos. É aprender a ser flexível. É rir das próprias falhas, debochar dos próprios medos, brincar mais na vida e com a vida.

5. **Ser um vendedor de esperança: transformar o caos em oportunidade criativa**

Ser emocionalmente protegido(a) é não ser escravo(a) da dor nem encarcerado(a) pelas crises ou algemado(a) pelos dias mais tristes. Certa vez, minha cunhada, seus dois filhos de cinco e sete anos e um amiguinho deles foram passear num clube. Pegaram uma estrada e, infelizmente, algo trágico aconteceu. No retorno, sofreram um acidente, e o carro pegou fogo. Todos fecharam os olhos para a vida. Eu amava essas crianças como se fossem meus filhos. Meu irmão, pai deles, e toda a família ficamos sem oxigênio emocional para respirar. Ficou o trivial: dinheiro, status, profissão; perdemos o essencial: a vida. Atravessamos o mais penetrante caos.

A dor era tanta que levei todos os meus irmãos, meus pais e sobrinhos para minha casa. Durante um mês, deixei de chorar minhas próprias lágrimas para ajudá-los a chorar as deles. Todos os dias, eu dialogava com eles e irrigava a emoção deles. Tornei-me um vendedor de esperança. Independentemente de uma religião, passamos a enxergar a vida como um grande texto e a morte como uma vírgula, para que o texto continuasse a ser escrito na eternidade.

Por fim, superamos o caos com cicatrizes e muitas saudades, mas sem desespero. Depois da soturna e vampiresca noite, aguardamos o mais belo amanhecer. E o sol brilhante, com estrias douradas, despontou no horizonte emocional. A vida ganhou mais sabor...

Descobri, não apenas como pensador da Psicologia, mas também pela minha própria práxis, que ter um Eu resiliente é saber que, quando o mundo desaba sobre nós ou rui aos nossos pés, nós ainda devemos crer na vida... Vale a pena vivê-la, principalmente quando se aprende a vender sonhos numa sociedade que deixou de sonhar...

Resiliência: um termo da Física na Psicologia

Resiliência é um termo da Física que tomamos de empréstimo na Psicologia para falar de uma importantíssima característica da personalidade.

Do ponto de vista da Física, resiliência é a capacidade de um material suportar tensões, pressões, intempéries, adversidades e retomar a forma anterior. É a capacidade de se esticar, assumir formas e contornos para manter sua integridade, sua anatomia, sua essência.

Transportado para a Psicologia, o termo é atribuído a processos que explicam a "superação" de crises e adversidades em indivíduos, grupos e organizações. Resiliência é um conceito relativamente novo no campo da Psicologia, que vem sendo debatido com vigor e frequência pela comunidade científica.

Na Psicologia Multifocal, que tem simultaneamente base analítica e cognitiva e, portanto, ultrapassa os limites da Psicologia Positiva, resiliência é uma das ferramentas mais notáveis da inteligência. E não é possível falar em resiliência sem falar do fenômeno da psicoadaptação, que reflete a capacidade de suportar dor, transcender obstáculos, administrar conflitos, contornar entraves, reinventar-se diante das mudanças psicossociais.

Tenho estudado e escrito sobre o fenômeno da psicoadaptação, que alicerça a resiliência, há quase trinta anos, enquanto o termo "resiliência" começou a ser adotado sistematicamente mais de dez anos depois, a partir de 1998.

O fenômeno da psicoadaptação gera o código da resiliência. O grau de resiliência depende, portanto, do grau de adaptabilidade e superabilidade de um indivíduo aos eventos adversos que encontra em seu traçado existencial ou em sua jornada de vida.

Uma pessoa com baixo grau de resiliência suporta inadequadamente suas adversidades, o que pode desencadear depressão, pânico, ansiedade, sintomas psicossomáticos.

Quando o código da resiliência é inadequadamente decifrado e desenvolvido, as dores e as perdas podem levar ao autoabandono e, em alguns casos, gerar ideias de suicídio. Há o suicídio imaginário

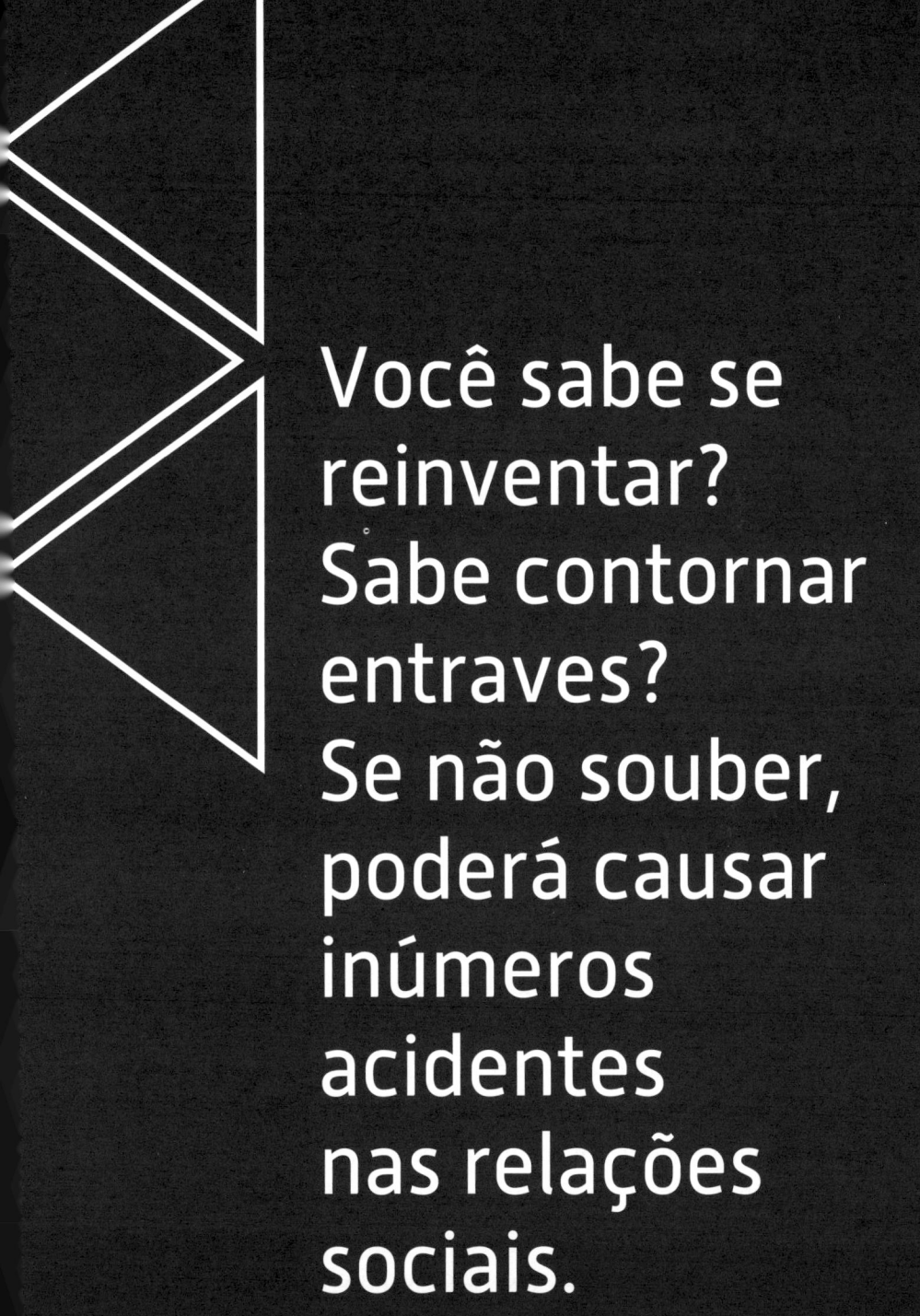

Você sabe se reinventar? Sabe contornar entraves? Se não souber, poderá causar inúmeros acidentes nas relações sociais.

(desejo de sumir, desejo de dormir e não acordar mais), o suicídio físico (atentar contra o próprio corpo) e o suicídio psíquico, que, às vezes, pode estar refletido no alcoolismo, na dependência de outras drogas e em outros comportamentos autodestrutivos.

Sem sombra de dúvida, há "crises" e "crises". Algumas são dramáticas, imprimem dor indecifrável. Mas em todas elas é possível aplicar a ferramenta da resiliência, que, por sua vez, está estreitamente ligada à ferramenta do Eu como gestor das emoções e dos pensamentos, em especial a gestão de pensamentos mórbidos, pessimistas, antecipatórios.

Um choque de gestão do intelecto capaz de esfacelar o pessimismo e irrigar de esperança os horizontes da vida é fundamental para alicerçar habilidades psíquicas para suportar tensões emocionais, pressões sociais, adversidades profissionais.

O fenômeno da psicoadaptação

Alguns estudiosos reconhecem a resiliência como um fenômeno comum, presente no desenvolvimento de qualquer ser humano. De fato, todos temos o fenômeno da psicoadaptação ativo em nosso psiquismo.

Sem esse fenômeno, uma mãe jamais suportaria a perda de um filho, uma criança não sobreviveria às violências sofridas na infância, um adulto não resistiria a vexames, humilhações sociais, perdas de emprego, crises financeiras. A perda ou diminuição da capacidade de sentir dor diante da recordação dos mesmos estímulos estressantes é uma psicoadaptação fundamental.

No entanto, essa é apenas parte da história. Não basta possuir o fenômeno da psicoadaptação ativo. Se quisermos ser resilientes,

Superação

"elásticos", "flexíveis" e "resistentes" diante dos estímulos estressantes, precisamos decifrar, educar, enriquecer o fenômeno da psicoadaptação.

As perdas, as derrotas, as lágrimas devem ser sempre evitadas, mas ninguém vive continuamente em céu de brigadeiro. Como somos mortais, as turbulências são inevitáveis e imprevisíveis. Surgem até em dias de céu claro. Diante da fragilidade e da imprevisibilidade da existência, deveríamos usar os acidentes para expandir a resiliência, nossa estrutura emocional.

Capítulo 2

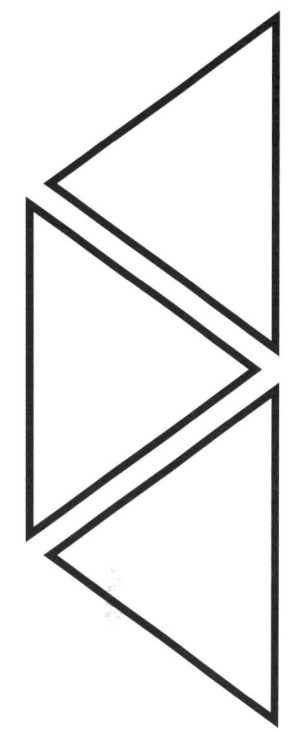

Seis princípios para nutrir a resiliência

1. Ninguém será digno do pódio se não usar os fracassos para alcançá-lo.
2. Ninguém será digno da maturidade se não usar suas incoerências para produzi-la.
3. Ninguém será digno da saúde psíquica se não usar suas crises, fobias, humor depressivo para destilá-la.
4. Ninguém será digno da liberdade se não a considerar inviolável.
5. Dar as costas para as adversidades é a pior maneira para superá-las.
6. Fazer a Mesa-redonda do Eu para reunir nossos pedaços, manter nossa integridade, debater com nosso desespero, questionar nosso pessimismo, estabelecer estratégias de superação.

Antes de ser publicado em dezenas de países e ter textos usados como referência em teses de pós-graduação, tive de encarar minha estupidez, reconhecer minha ignorância, lidar com rejeições e descréditos, enfrentar minhas derrotas.

Sem resiliência, não teria sobrevivido. Como já relatei em diversas oportunidades, eu era desconcentrado, alienado, sem projeto de vida, um péssimo aluno. Tive de me reinventar.

Superação

Após me tornar escritor no Brasil, enfrentei diversos outros percalços. Lembro-me de que, certa vez, bati à porta de uma das maiores editoras da Europa. Com um livro debaixo do braço, tentei adentrar o enorme edifício que era a sede da empresa. Não fui recebido nem pelo "sub" do "sub" do subeditor. Foi uma decepção. Não quiseram sequer analisar o livro. Era um simples anônimo apaixonado pelo mundo das ideias diante de um grande império. Senti-me humilhado e descobri que publicar em outras nações era uma tarefa dantesca. Mas ninguém será digno do êxito se não usar como alicerce seus fracassos, pensei. Não desisti.

O tempo passou. Por incrível que pareça, seis anos depois recebi uma ligação do presidente dessa mesma editora. Fiquei surpreso. O presidente disse que queria me ver urgentemente e comentou que, se eu não pudesse ir vê-lo, ele viria ao Brasil com sua equipe. Como não pude ir, ele veio.

No almoço, o executivo-mor dessa editora disse que me queria de qualquer maneira no quadro de seus autores.

Lembrei-me da rejeição do passado e mais uma vez confirmei com humildade que a vida é cíclica. Montanhas e vales, invernos e primaveras se sucedem. A humilhação de hoje pode converter-se em glória amanhã, e a glória de hoje pode converter-se em anonimato.

Estamos preparados? Você está?

Nada é extremamente seguro na existência humana. Se quisermos desenvolver resiliência, deveremos valorizar a vida muito mais do que o sucesso, os aplausos, o reconhecimento social. Tudo é efêmero, passa tão rápido.

Muitos cientistas, antes de descobrirem suas grandes ideias, foram criticados, excluídos, tachados de loucos. Alguns grandes políticos, como Abraham Lincoln, só tiveram êxito depois de amargar

Nada é extremamente seguro na existência humana. Se quisermos desenvolver resiliência, deveremos valorizar a vida muito mais do que o sucesso, os aplausos, o reconhecimento social.

inúmeros fracassos. Alguns grandes empresários só atingiram o apogeu depois de visitar os vales da falência, da escassez e do vexame público.

Quem quer o brilho do sol tem de adquirir habilidade para superar as tempestades. Pois não há céu sem intempéries. Quem sonha com a felicidade inteligente e saudável tem de ser resiliente para atravessar o breu da soturna noite. Não há milagres. A vida é um grande contrato de riscos, saturado de aventuras e de imprevisibilidades. A única certeza é que não há certeza.

Dependência de drogas: sem pele emocional

Por não treinarmos o Eu para lidar com as dores e perdas da existência, somos escravos das *janelas killers,* dos arquivos traumáticos. Andamos em círculo, pensando em nossas mazelas, gravitando na órbita das ofensas, crises, dificuldades. Gastamos enorme quantidade de energia desnecessariamente. Somos frequentemente não como a água, que contorna os obstáculos, mas como o vidro: fortes, duros, rígidos, entretanto incapazes de suportar um trauma que nos estilhaça.

Muitos dos que adoecem emocionalmente, seja pelo uso de drogas, seja por fobias ou autopunição, entre outros, não têm resiliência. Desistem de seus projetos, abandonam-se, colocam-se num patamar indigno na própria agenda. Não têm pele ou proteção emocional.

Ao passarem por crises, angústias, frustrações, disparam imediatamente o *gatilho da memória,* abrem as *janelas killers,* que fecham o circuito da memória, e, a partir desse momento, sua emoção torna-se terra de ninguém. Os breves momentos de prazer se alternam com momentos de autopunição, humor depressivo, sentimento de impotência.

Recordando: o *gatilho da memória é* o primeiro fenômeno inconsciente usado no processo de interpretação. Diante de um estímulo, seja um som, seja uma imagem, por exemplo, ele abre janelas ou arquivos no córtex cerebral e produz nossas primeiras reações, emoções, impressões, pensamentos. *Janela killer é* um arquivo traumático que contém experiências como medo, perdas, frustrações, arrogância, egocentrismo, timidez.

É inegável que drogas como a cocaína e o *crack* dão um prazer momentâneo e sensação de poder, mas é incontestável que produzem depressão de rebote e um rastro angustiante pelo aprisionamento da liberdade.

Viver é conquistar, ter experiências, cultura, amigos, um grande amor... Viver também é perder, sofrer diminuição da destreza muscular, ficar privado de reconhecimento social, de vitalidade social. Viver é encantar-se com os outros e ter expectativas correspondidas, mas é também desencantar-se e ter expectativas não atendidas. O drama e o lírico sempre nos acompanham. Isso torna a vida belíssima.

Quem decifrar a ferramenta da resiliência vai, ainda que sem ter consciência, construindo ao longo da vida centenas de *janelas light* em seu inconsciente. Essas janelas são arquivos saudáveis, que dão sustentabilidade para sua lucidez, ânimo, sensibilidade, sabedoria, tranquilidade, ousadia, criatividade, capacidade de pensar antes de reagir e de se colocar no lugar dos outros. Quem decifrar a ferramenta da resiliência, ainda que perca a vitalidade física, preservará a psíquica; mesmo que os aplausos cessem, a vida continuará sendo um show no anonimato.

Um material difícil de trabalhar

Uns trabalham a argila; outros, o mármore; outros, ainda, peças para construir aparelhos. Mas poucos aprendem a trabalhar o material dos desapontamentos e das frustrações. Fomos treinados para ganhar, não para perder.

Nada é tão belo quanto ter filhos. Nada é tão gostoso do que receber deles um abraço, um beijo, uma simples frase dizendo "Eu te amo!". Mas o tempo passa, a vida passa, e eles criam asas e percorrem outros ares. Entediados, os pais experimentam a síndrome do ninho vazio. Deram-se, amaram e se preocuparam tanto com eles, mas eles se foram. É preciso resiliência para vê-los partir.

Às vezes eles não vão; ficam, mas deixam de ser uma fonte de alegria para os pais. Não formaram a personalidade como sonharam. Alguns passam a se drogar ou adquirem outros transtornos; outros se tornam indiferentes; outros, ainda, não aprendem a pensar no amanhã. É, porém, necessário deixar os filhos ter as próprias experiências, frustrar-se, quebrar a cara para adquirir resiliência; caso contrário, viverão à sombra dos pais, repetindo erros, fomentando suas fragilidades.

Devemos dar o melhor para nossos filhos, mas não podemos querer que tenham nossa imagem e semelhança. Nós devemos recolher a pena e o papel e entregar-lhes, para que eles mesmos escrevam sua história. Superproteger os filhos e compensá-los com bens materiais para aliviar nossos conflitos promove o consumismo e destrói a resiliência. Um pai pode ter pouquíssimo tempo para os filhos, mas nunca deve tentar compensar sua falta de tempo com abundância de presentes.

Muitos filhos só reconhecem a grandeza dos pais quando os próprios sofrimentos diminuem o seu heroísmo, quando batem asas de encontro às adversidades, quando deciferam o código da resiliência.

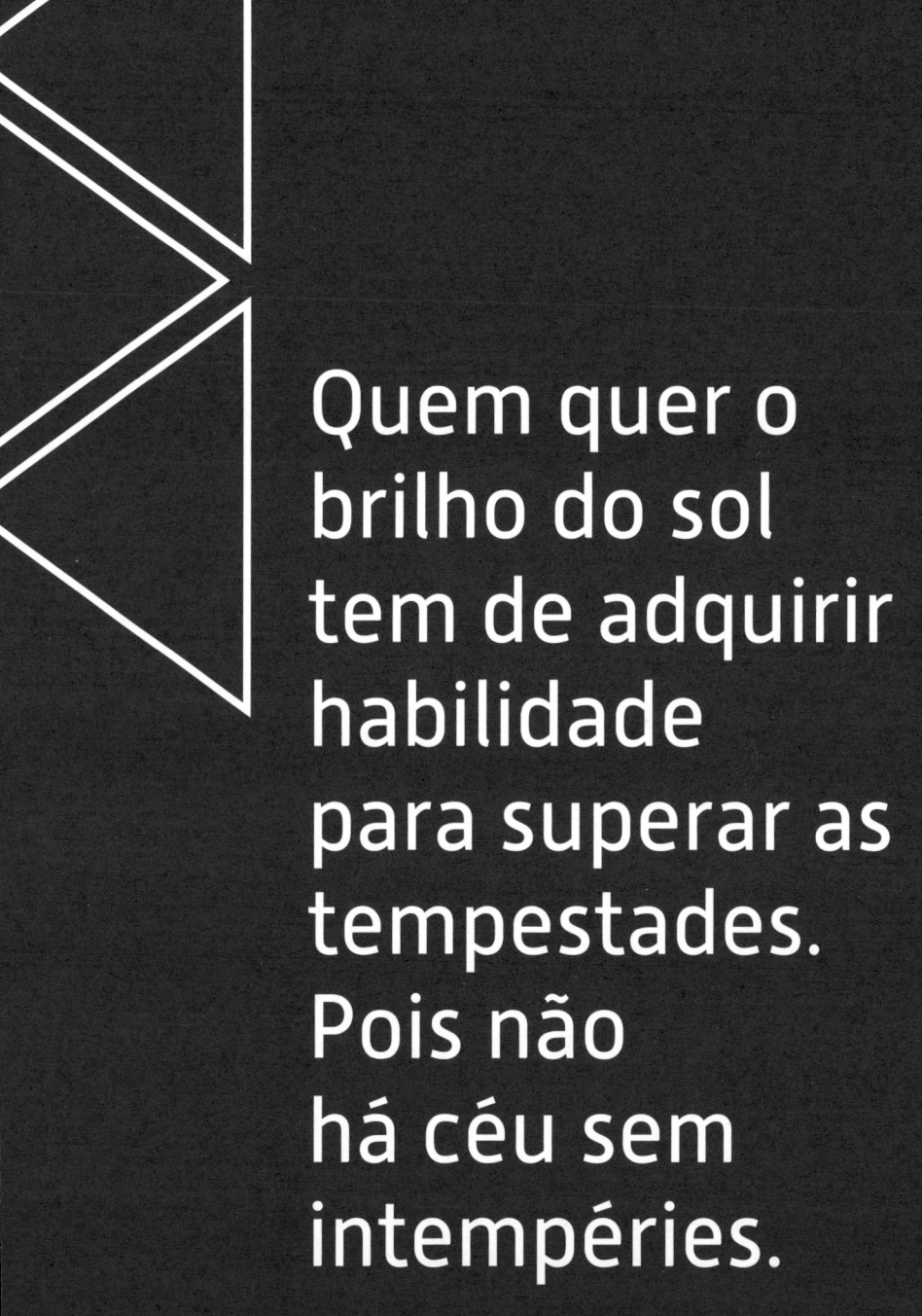

Quem quer o
brilho do sol
tem de adquirir
habilidade
para superar as
tempestades.
Pois não
há céu sem
intempéries.

Capítulo

3

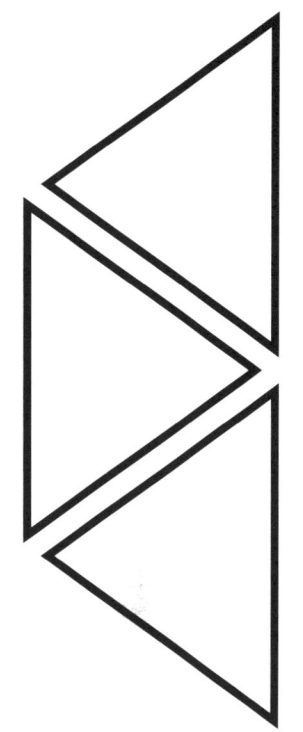

Um homem intensamente resiliente

    Não é a quantidade de tempo que determina a profundidade de uma relação. Podemos fazer de cada fração de tempo um momento único. Há pacientes que estão fisicamente doentes, têm meses de vida, mas fazem de cada momento uma experiência solene. São mais dignos e mais felizes do que muitos que vivem décadas com uma existência vazia.

    Certa vez, ao dar uma conferência numa cidade que eu nunca tinha visitado, um padre em fase terminal pediu-me que o visitasse. Era de origem italiana, muito inteligente, lúcido e extremamente afetivo. Estava com câncer de fígado em estágio avançado. Quando o visitei, ele me disse que havia anos usava meus livros para presentear os amigos, para que abrissem o leque da inteligência.

    Fiquei feliz com seu relato. À medida que fui conversando com ele, meus olhos começaram a lacrimejar ao ver alguém tão magro, ofegante, que mal conseguia andar e respirar, mas que revelava uma sede intensa de viver, uma ternura indecifrável, uma fé inabalável.

    Eu me perguntava que resiliência era aquela que deixava chocadas a Psicologia e a Psiquiatria.

Ele não reclamava, não condenava, não se achava o mais miserável dos seres. Psicoadaptou-se às suas indecifráveis limitações. Era um poeta da vida. Não escrevia poesia, mas vivia como se a vida fosse uma poesia. Sua coragem e sabedoria eram surpreendentes. Aprendeu a viver cada minuto como se fosse eterno. Foi um ser humano muito melhor do que eu.

Ao me despedir dele, agradeceu-me por tudo o que escrevi. Mas eu é que agradeci a ele por existir e por tê-lo conhecido. Senti-me honrado diante de alguém que, no teatro da existência, fez da vida show imperdível, mesmo quando o teto desabava sobre si.

Ser resiliente é fundamental

Quem não desenvolve resiliência cobre-se com o manto da ansiedade, tem insônia no melhor dos leitos, sente-se opaco mesmo cultuado pela mídia, sente-se sem endereço mesmo morando em residência confortável. Quem desenvolve resiliência adocica a vida mesmo que ela lhe seja amarga, torna-se generoso mesmo quando excluído, contempla o belo ainda que não tenha motivos para ser feliz, julga menos e se entrega mais.

Sócrates, o filósofo ateniense, foi condenado a beber cicuta, a morrer envenenado, pelo incômodo que seus pensamentos causavam na elite governante. Seus jovens discípulos, em meio a lágrimas e dor, suplicaram-lhe que reconsiderasse sua postura e suas ideias, mas ele, dando-lhes um choque de resiliência, disse-lhes, em outras palavras, que preferia ser fiel às suas ideias a ter uma dívida impagável com a própria consciência. A resiliência, sem que ele soubesse, percorria as artérias da sua personalidade.

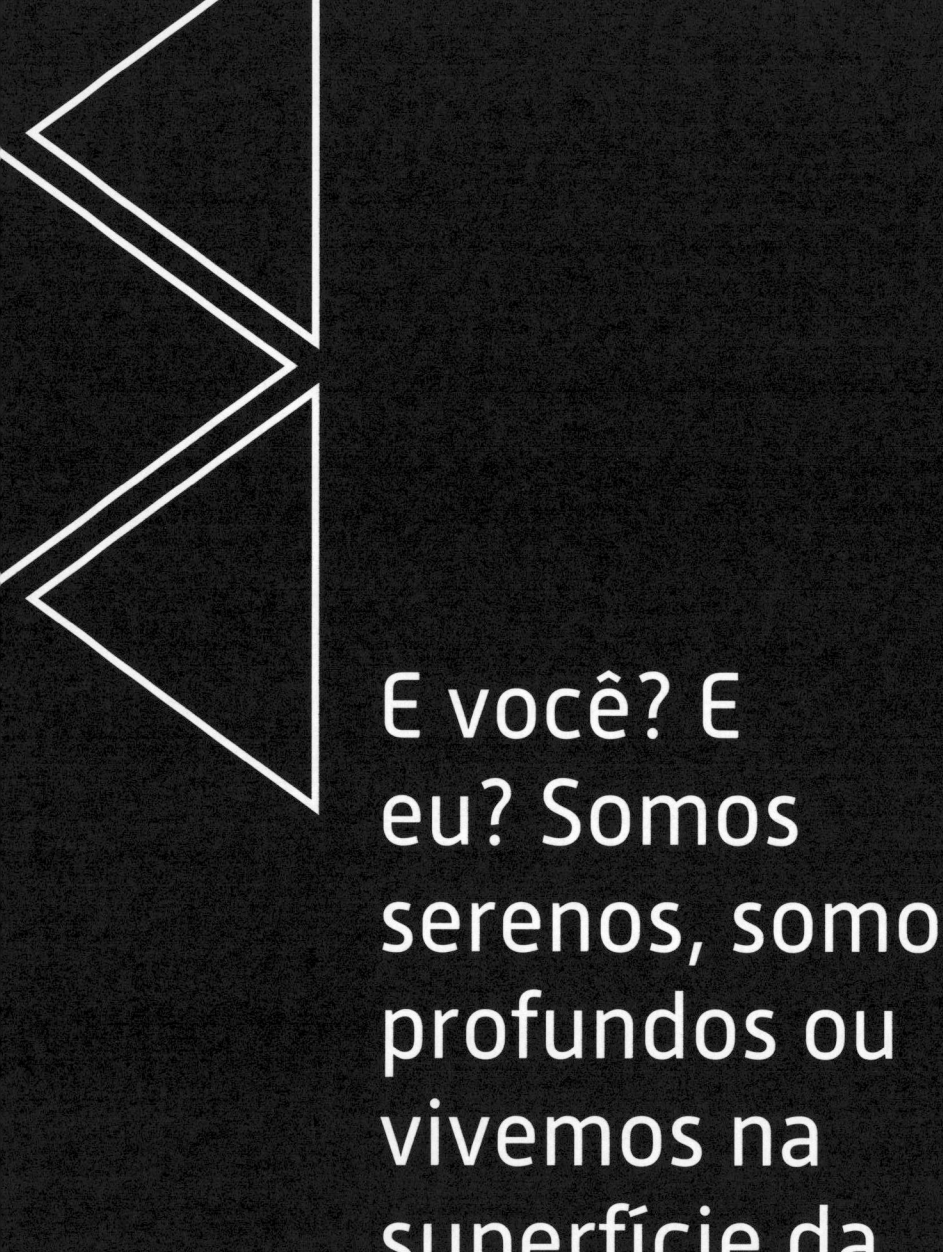

E você? E eu? Somos serenos, somos profundos ou vivemos na superfície da emoção?

Superação

Há outros exemplos de resiliência que sempre gosto de mencionar.

Giordano Bruno, filósofo italiano, andou errante por muitos países, procurando uma universidade para expor suas ideias. Foi banido, excluído, tachado de louco. Sem ninguém para ouvi-lo, procurou no próprio mundo aconchego para superar sua solidão. Experimentou diversos tipos de perseguição, que culminaram em sua morte. Mas não desistiu de seu projeto de vida.

O filósofo prussiano Immanuel Kant foi tratado como um cão pelo incômodo que suas ideias causavam no clero de seu tempo.

E, da mesma forma, o também filósofo Voltaire passou por rejeições e inumeráveis riscos.

Ser fiel à nossa consciência tem um preço, ser diferente tem um preço, dizer "não" tem um preço – nem sempre fácil de pagar, mas necessário para saldar o débito com nosso Eu. Muitos recaem no uso das drogas por não estarem dispostos a pagar esse preço. Você está?

Em qualquer campo da atividade humana, raramente as grandes conquistas são alcançadas sem grandes batalhas, sem que, em alguns momentos, pensemos "Não dá mais!", "Não tenho forças!", "Estou no limite!".

Treinar a técnica do DCD (Duvidar, Criticar, Determinar) e todas as técnicas que estamos propondo nesta obra é importante para não esgotarmos o cérebro e para superarmos nossas batalhas existenciais, que gritam no silêncio psíquico, dizendo que, depois da mais drástica tempestade, sempre vem o mais belo amanhecer.

Capítulo

4

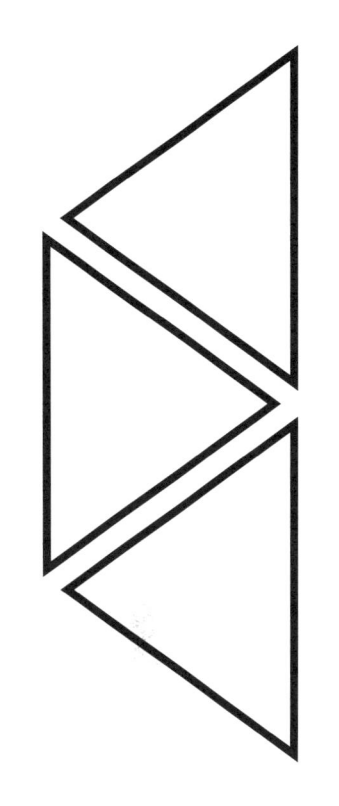

Inteligência socioemocional: alicerçando a resiliência

Inteligência socioemocional é:
1. Ter consciência de que a vida é uma grande pergunta em busca de uma grande resposta.
2. Buscar o sentido para a vida e não reagir em função apenas da sobrevivência.
3. Investigar respostas para as perguntas que animam a ciência e a filosofia: Quem somos? O que somos? Pelo que vale a pena lutar, existir, respirar?
4. Procurar, independentemente de uma religião e de acordo com nossa cultura, os mistérios da vida.
5. Conscientizar-se de que a vida é bela e breve como as gotas de orvalho, que por instantes aparecem e logo se dissipam.
6. Descobrir esperança na desolação, coragem nas perdas, sabedoria no caos.

Os mistérios da vida

Inteligência socioemocional é a inteligência que busca os mistérios da vida, os segredos da existência, um sentido mais profundo para a nossa jornada como seres humanos. É a inteligência que conquista contornos emocionais tão profundos que ultrapassa os limites do instinto de sobrevivência e nos leva a pensar no outro, na sociedade, na humanidade. É a inteligência que rompe o cárcere do individualismo, do egocentrismo, do egoísmo e de todos os feudos que nos fazem gravitar na órbita de nós mesmos.

A inteligência socioemocional é uma ferramenta para tornar efetiva a gestão de nossa mente. Desde os primórdios, o ser humano procura as origens da vida e uma missão existencial. Até as empresas procuram uma missão como razão de ser. Mesmo os mais ardentes ateus procuram ansiosamente respostas para tentar abrandar o grito inquietante das perguntas: Quem somos? O que somos? Pelo que vale a pena existir?

Como costumo sempre lembrar, abarrotamos o córtex cerebral das nossas crianças e adolescentes com milhões de informações de Matemática, Química, Biologia e outras disciplinas, para que eles conheçam o mundo exterior. Essa postura cognitiva expande o raciocínio lógico e as habilidades profissionais. Mas, infelizmente, não lhes ensinamos a lidar com as funções socioemocionais, a navegar nas águas do estresse, a ser autônomos, resilientes e a ter compromisso em melhorar a sociedade.

Foi pensando no desenvolvimento dessas habilidades que idealizei o programa Escola da Inteligência (www.escoladainteligencia.com.br), adotado em dezenas de escolas. Com esse programa, os alunos aprendem a pensar antes de reagir, a proteger a emoção, a colocar-se no lugar dos outros.

A insaciável busca de si

Sócrates baseou sua filosofia na inscrição da entrada do templo de Delfos – "Conhece-te a ti mesmo". Descartes, após duvidar da própria existência, concluiu: "Penso, logo existo".

Pensar é algo inevitável. Pensamos não apenas porque nosso Eu assim deseja, mas também porque há fenômenos que leem a memória sem a autorização do próprio Eu, como o *gatilho da memória* e o *autofluxo*. Relembrando: o *autofluxo* é o fenômeno inconsciente que lê a memória milhares de vezes por dia para produzir imagens mentais, personagens, ambientes, etc. À noite, é o engenheiro dos sonhos e, durante o dia, é o engenheiro que inspira e distrai a mente humana. Mas poderá gerar uma fonte de estresse se as imagens mentais forem perturbadoras.

Se o Eu, como piloto da aeronave mental, não ler a memória no sentido lógico e consciente, esses dois copilotos a lerão e produzirão pensamentos, imagens mentais, fantasias, preocupações em relação ao futuro.

Por sua vez, conhecer a si mesmo, procurar-se, é uma sede insaciável do ser humano. Destruir essa sede vital equivale a destruir a essência humana. Mas, infelizmente, as sociedades consumistas estão destruindo a habilidade de todos, das crianças aos adultos, de se interiorizar, de se procurar, de se conhecer.

A religião é a única instituição que nunca foi destruída ao longo da História. Caem impérios, esfacelam-se governos, morrem heróis, extinguem-se filosofias, dissolvem-se ideologias sociopolíticas, mas a busca do sentido existencial e do Autor da existência nunca se dissipa do teatro psíquico e social. Mas nem sempre a religião induz à interiorização saudável; é mais comum que induza ao consumo do sobrenatural, à necessidade neurótica de poder, à defesa radical de suas teses.

A inteligência socioemocional, se bem aplicada e regada com serenidade, promove a paz social, a cooperação, o amor; enriquece o prazer; fomenta a tolerância; nutre a solidariedade. Mas, se

Superação

controlada pelo radicalismo, pelo autoritarismo e pelo fundamentalismo, produz a exclusão social, promove o individualismo, gera a angústia, expande a intolerância, realça a agressividade, o ciúme e o ódio.

Vivemos um tempo difícil, regado à Síndrome do Pensamento Acelerado (SPA) e à Síndrome do Circuito Fechado da Memória (CiFe). Como costumo lembrar, uma criança de sete anos tem mais informações hoje do que tinha um imperador romano quando governava o mundo.

A SPA é causada pelo excesso de dados, de atividades, de uso de *smartphones*, gerando esgotamento cerebral, fadiga, cefaleia, sofrimento pelo futuro, irritabilidade, esquecimento, etc. Já a síndrome CiFe é causada quando entramos numa *janela killer*, que contém claustrofobia, fobia social, raiva, inveja, ciúme, timidez. O volume de tensão dessa janela é tão grande que bloqueia o acesso a milhares de arquivos saudáveis, levando-nos a reagir impulsivamente. Nunca tivemos tantas informações e tantas janelas doentias saturando e estressando o cérebro. Nunca tivemos uma mente tão agitada, tensa e ansiosa.

Nesse sistema social agitado, não poucas vezes o deus é o dinheiro, o templo é o consumo e o ritual é a ansiedade em consumir o desnecessário. Mas todo o sistema social, por mais eficiente que seja em fomentar a estética, o status, a evidência social, a beleza física, o entretenimento, não consegue saciar o espírito humano. Como digo no livro *O vendedor de sonhos*: somos caminhantes que andam no traçado do tempo em busca de nós mesmos. É preciso muito mais para aliviar nossas inquietações existenciais.

Quando a inteligência socioemocional não é irrigada, alguns partem para o consumismo; outros, para o uso de drogas; outros, ainda, desenvolvem doenças emocionais e psicossomáticas, comportamentos autopunitivos, agressividade, pessimismo existencial, necessidade neurótica de isolamento ou de ser o centro das atenções sociais.

Ontem e hoje, somos os mesmos

A mesma ansiedade vital que perturbava os povos primitivos ainda perturba o ser humano atual. Somos os mesmos em nossa essência de ontem e de hoje. Os mistérios da vida, a morte, a continuidade da existência... questões tão antigas e tão modernas. Não temos respostas científicas para elas e provavelmente nunca as teremos. Cada resposta será o começo de inumeráveis perguntas.

Somos todos meninos brincando no teatro do tempo, acreditando que sabemos muito, mas no fundo não sabemos quase nada do essencial.

Por que o ser humano nunca deixou de ter uma religião, independentemente de seu deus ser o sol, a lua, os raios, as árvores, ou de ser o deus do budismo, do islamismo, do judaísmo, do bramanismo, do cristianismo?

Eis uma das importantes respostas: a consciência existencial, como o fruto mais excelente do processo de construção de pensamentos, encara a morte não como um ponto final, mas como uma vírgula, para que o texto continue de alguma forma a ser escrito na eternidade...

Ainda que esse movimento seja incontrolável, deveria sofrer um choque de lucidez. Caso contrário, crendo ser imortais, sociopatas continuarão a dominar os povos; ditadores, a escravizar nações; líderes religiosos, a adestrar mentes incautas.

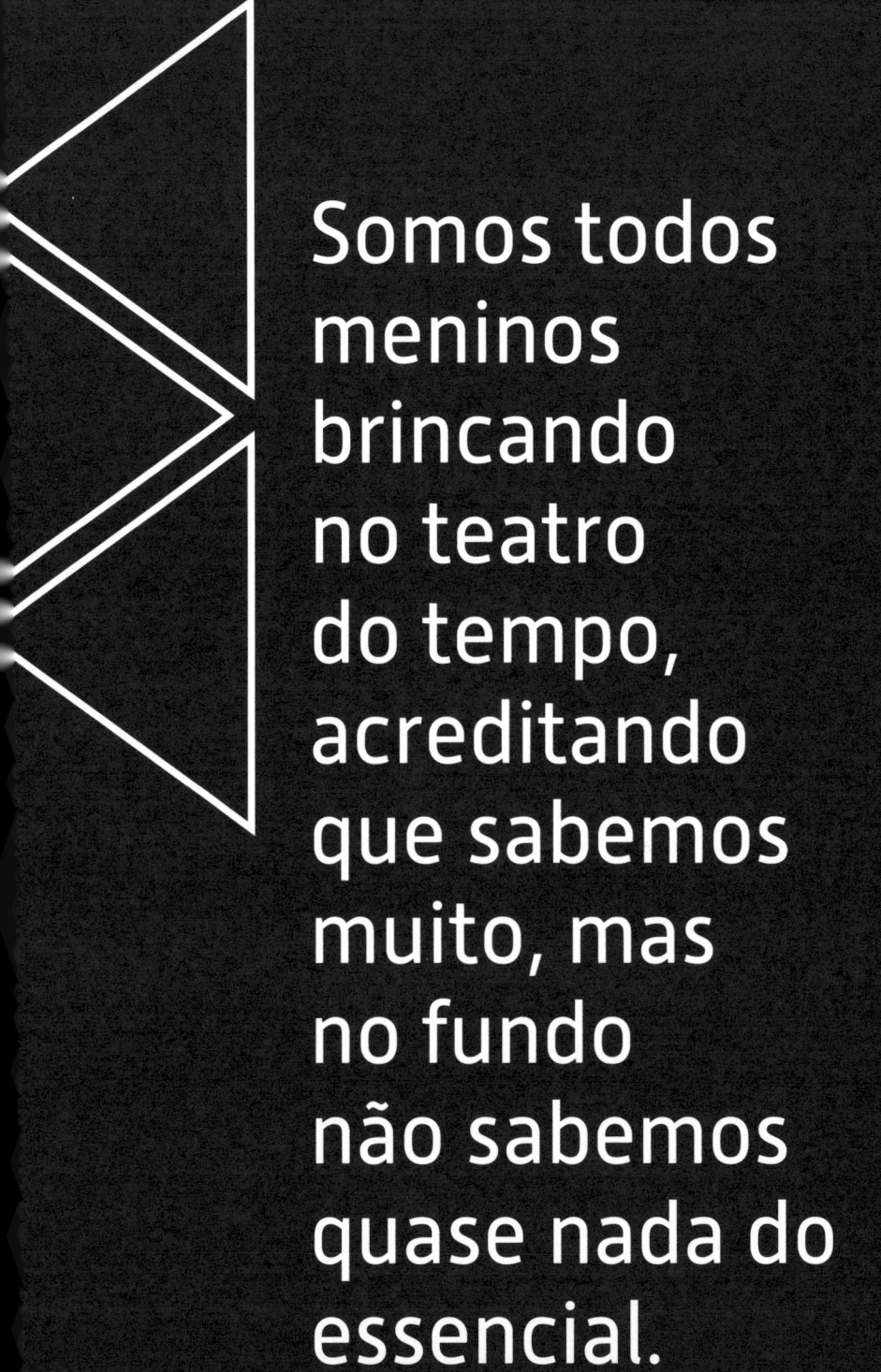

Somos todos
meninos
brincando
no teatro
do tempo,
acreditando
que sabemos
muito, mas
no fundo
não sabemos
quase nada do
essencial.

Capítulo

5

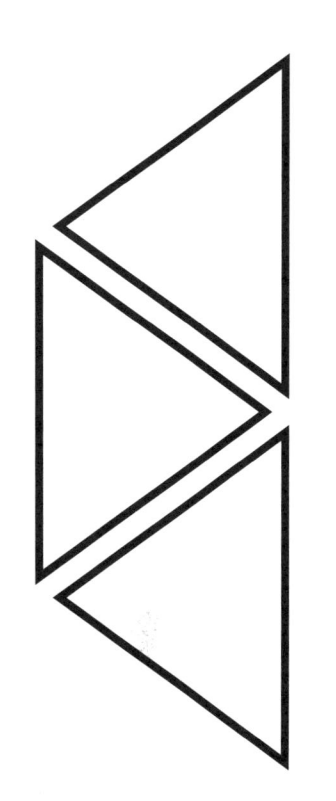

O desespero
de Darwin

O caos de um homem mentalmente brilhante

Charles Darwin foi um homem dotado de grande senso de observação e raciocínio dedutivo e lógico. Sua teoria da evolução das espécies causou um impacto na cultura dos povos. Embora fosse deveras inteligente, era um simples mortal e, como qualquer ser humano, capaz de entrar em conflitos existenciais profundos quando a vida atravessa os vales sórdidos dos conflitos, da limitação física, da dor emocional.

Quando Darwin estava às portas da morte, desenvolveu crises, náuseas, vômitos e angústias inexprimíveis. Sua emoção clamava por alívio. O circuito da memória se fechou; seu Eu procurava as chamas do relaxamento, mas não conseguia. Então, no ápice da dor, um relato de sua biografia tornou-se memorável, mas pouco explorado. Darwin bradou: "Deus meu, Deus meu!".

Quando eu cursava a faculdade de Medicina, dava aula de Biologia para sobreviver, especialmente sobre a teoria de Darwin. Para ele, os indivíduos mais aptos de cada espécie sobrevivem às intempéries e às transformações do ambiente e, pela reprodução, deixam sua carga genética como herança à geração seguinte, assim se processando a evolução das espécies.

Teria o autor da teoria da evolução demonstrado fragilidade ao clamar por Deus quando o mundo desabava sobre ele?

Seu Eu beijou a lona da miserabilidade humana, mas, em minha opinião, como autor de uma teoria sobre o funcionamento da mente e sobre o processo de construção do Eu, Darwin não foi frágil. Foi marcadamente humano.

O Eu, quando a vida está em risco, rejeita o caos emocional, a dor cálida, o nada em si, a angústia inerente à morte e ao vazio existencial. É muito fácil ser ateu quando se navega em céu de brigadeiro, mas não o é nas graves turbulências existenciais.

A aversão do Eu pela dor é iluminadora. E ela ocorre não apenas no palco da mente humana, mas também no teatro biológico. Há trilhões de células no corpo humano, e nenhuma delas está programada para morrer. Diante do sofrimento e do risco de morte, poderosos mecanismos biológicos para a luta ou para a fuga, envolvendo hipotálamo, glândulas adrenais e neurotransmissores, como a adrenalina, são acionados para preservar a vida a qualquer custo.

A fuga do fenômeno do fim da existência está diretamente relacionada a quase todos os campos da atividade humana. O sistema policial, a medicina, a enfermagem, a coleta de lixo, o tratamento de água, o sistema de vacinação, a tecnologia de preservação dos alimentos, a tecnologia de segurança dos veículos têm ligação estreita com a preservação da vida.

A morte é um fenômeno tão inquietante para a vida que está intrinsecamente presente na indústria de lazer. Na pintura, na escultura, na literatura, em particular na ficção, o fim da existência tem frequentemente destaque central. Hollywood não existiria sem os fenômenos da morte e da fragilidade da vida humana retratados nos filmes de guerra, policiais, de terror, de ficção científica, de aventura.

Por que o fenômeno da morte é tão relevante? Porque a vida é imprescindível, inalienável, indescritível. A vida é o fenômeno dos fenômenos, o princípio dos princípios, o começo e o fim de tudo.

Os mais aptos seres humanos, se usarmos a teoria da evolução, percebem sua pequenez e querem continuar o espetáculo existencial. Desesperam-se, clamam pela continuidade da vida, pelo alívio da dor. Fogem de seu heroísmo, querem distância do caos patrocinado pelo nada ou pela inconsciência total.

Definir a vida? Ela é indefinível. Ela está além da dor, das mazelas, das crises, dos acertos, dos aplausos, da notoriedade. Milhões de livros com bilhões de informações apenas arranham o significado da existência.

Por isso não existe ideia pura de suicídio. Todo pensamento sobre a morte é uma homenagem à vida, pois só a vida pensa. Reciclando alguns conceitos psiquiátricos e psicológicos: todos querem fugir da morte, mesmo quando pensam em morrer. Quando se pensa na morte, o que se deseja, no fundo, é extinguir a dor, o sofrimento, e não a vida. Mesmo quando aceitamos a morte, na realidade estamos rendendo homenagem à vida.

Quem não trai sua qualidade de vida?

O fenômeno do fim da existência e as indagações da mente para desvendar suas origens reforçam a tese de que procurar pelo Autor da vida, independentemente de uma religião, é sinal não de fraqueza humana, mas de grandeza de inteligência. Sob os ângulos da filosofia, tal procura é um golpe inteligentíssimo do intelecto. Grandes filósofos se embrenharam nessa empreitada: Sócrates, Platão, Santo Agostinho, Spinoza, Descartes, Rousseau, Newton, Einstein, todos procuraram Deus, a seu modo, por trás da cortina do tempo e do espaço. Até quando discute seu ateísmo, um cientista está procurando compreender a vida e aliviar suas inquietações existenciais.

A inteligência socioemocional, portanto, clama por que possamos respeitar a vida em seu mais pleno sentido. Mas onde estão as pessoas que mantêm um romance com sua qualidade de vida? Os melhores profissionais da atualidade são ótimos para a empresa e para o sistema social, mas, ao mesmo tempo, são carrascos de si mesmos.

Quem procura desenvolver a resiliência e proteger sua emoção dia e noite? Que psiquiatra, psicólogo, filósofo, educador, líder espiritual não trai sua qualidade de vida, de sono e de saúde emocional?

Antes de amar filhos, amigos, pais, parceiro(a), precisaríamos ter um Eu tão desenvolvido no território da emoção a ponto de ser capaz de reeditar conflitos, debelar medos, superar o egocentrismo, desatar as armadilhas da mente, enfim, capaz de ter um caso de amor com a vida e de fazer um brinde à saúde psíquica.

Então, reflita:

a) Como ter um estoque de amor para os outros se não o temos para nós mesmos?
b) Como valorizar a vida se nos tornamos máquinas de trabalhar, de desempenhar atividades e de pensar?
c) Como resgatar a estatura da existência se, em nome do prazer imediato de uma droga, muitos a colocam em risco?

d) Como preservá-la se fazemos seguro de casa, carro, empresa, mas não sabemos fazer seguro emocional, não sabemos proteger a emoção nem gerenciar o estresse?
e) Como equilibrá-la se sofremos por antecipação, se fazemos o velório dos fatos antes do tempo?
f) Como cuidar dela carinhosamente se não sabemos esquadrinhar os fantasmas que assombram nossas mentes?
g) Como deixá-la respirar se esgotamos seu oxigênio com a necessidade neurótica de poder, de evidência social, de estarmos sempre certos, de controlar os outros?

Elevando o status da vida nas intempéries existenciais

O Mestre dos mestres elevou a estatura da vida em seus patamares mais altos. Para Jesus, o ser humano valia muito mais que seus erros. Para o carpinteiro da existência, a profissão, o status social, a condição financeira, o poder político eram periféricos. A vida era o centro. Uma prostituta era tão fundamental quanto o mais notável líder religioso. Um moribundo leproso que exalava o cheiro fétido de suas feridas era tão essencial quanto o maior político de seu tempo. Um escândalo social? Sim! Mas expresso por alguém que exalou a inteligência socioemocional em prosa e verso.

O maior educador da História não prometeu a seus alunos céu sem tempestades, caminho sem riscos, trajetória sem acidentes, trabalho sem dificuldades. Mas prometeu dar-lhes ferramentas para terem força nas perdas, sabedoria nas tormentas, consolo no desespero, habilidades para superar os acidentes psíquicos, coragem para escrever os textos mais nobres nos momentos mais difíceis.

É incrível observar como seus discípulos, que antes não expressavam minimamente inteligência socioemocional, pois eram rudes, agressivos, individualistas, tinham a necessidade doentia de estar acima de seus pares, passaram a manifestar, no fim da caminhada, diletos sentimentos de tolerância, generosidade, altruísmo e agradecimento diário pelo espetáculo da vida.

Aprenderam a não exigir nada dos outros, a doar sem esperar reconhecimento. Descobriram que o maior ator social é aquele que tem prazer em servir. Foram promotores da liberdade, incentivadores do direito de escolha. Tornaram-se complacentes com seus opositores, pacificadores dos aflitos, compreensivos com a loucura dos erráticos, brandos com os que os rejeitavam. Desenvolveram a inteligência socioemocional, uma inteligência mais profunda que a emocional, a interpessoal, a musical, a lógica e tantas outras.

Não eram cultos, mas adquiriram uma cultura fabulosa. Pedro e João, embora quando jovens tivessem sido saturados por conflitos e pela necessidade neurótica de poder e de evidência social, escreveram na maturidade cartas que revelam uma criatividade, uma resiliência e uma inteligência socioemocional que deixam pasmada a ciência moderna.

As sementes e os sonhos que o maior educador da História plantou vão ao encontro dos mais belos sonhos da filosofia, da psicologia, da sociologia, das ciências da educação. Em seus lábios, a vida ganhou inimaginável estatura. Nunca a dignidade alçou voos tão altos e a solidariedade ganhou asas tão ágeis na terra das intempéries.

Capítulo 6

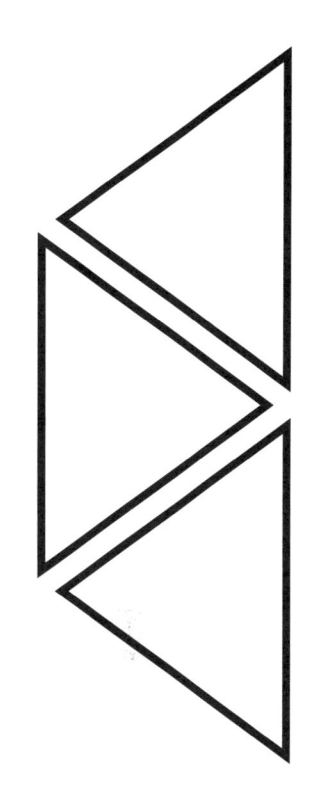

Compromissos
inesquecíveis

O princípio da sabedoria na filosofia: a arte da dúvida

Jamais deveríamos esquecer que, se a sociedade nos abandona, a solidão é tolerável, mas, se nós mesmos nos abandonamos, ela é insuportável... Diante disso, gostaria de lhe oferecer algumas ferramentas fundamentais que ensinamos em nossos cursos da Escola Menthes:

1. Quando alguém o (a) contraria, qual sua atitude: você reflete pacientemente sobre o comportamento dele e procura uma resposta inteligente ou reage agressiva e ansiosamente?
2. Debata esta questão: não há céu sem tempestades, nem caminho sem acidentes? Reflita sobre os principais acidentes existenciais por que passou (perdas, rejeições, crises, ataques de raiva).
3. O ser humano é uma complexa pergunta em busca de uma grande resposta. Você se questiona, mapeia seus conflitos, procura dar densidade à sua inteligência? Percebe que a vida é belíssima e brevíssima? A brevidade da existência estimula você a procurar

um sentido mais profundo para sua vida? Ou você vive instintivamente, procura o prazer a qualquer custo?
4. A ciência deu saltos espetaculares, mas não extirpou as mazelas psíquicas básicas do ser humano, como a violência social, o terrorismo, a fome, a farmacodependência. Você se preocupa com a humanidade? Pensa como humanidade? Procura aliviar a dor dos outros?
5. O desenvolvimento da inteligência socioemocional aquieta o pensamento; tranquiliza a emoção; proporciona consolo nas perdas, coragem nas injustiças, esperança no caos. Você tem apaziguado as águas da sua emoção? É uma máquina de trabalhar ou usa seu trabalho para viver?

De vez em quando, faça algumas loucuras saudáveis, como dar presente fora de data para quem ama, surpreender seu amor dizendo "Obrigado(a) por existir!" ou se presenteando com finais de semana superagradáveis, aventuras e resgate de sonhos esquecidos.

Dois grandes compromissos

O desenvolvimento da inteligência socioemocional nos leva a dois grandes compromissos, dois grandes romances. Primeiro, um romance com a humanidade. Quem desenvolve tal inteligência tem a convicção de que os fenômenos que constroem cadeias de pensamento em milésimos de segundo (sem saber o *locus* das informações e sem a participação consciente do Eu) estão presentes em cada ser humano. Portanto, esses fenômenos evidenciam que somos mais iguais do que imaginamos.

Essa verdade científica deveria nos compelir a pensar muito além de um grupo social, cultural, acadêmico, religioso: pensar como espécie. Nenhuma de nossas diferenças depõe contra nossa única essência. Pensar como espécie é excelente fruto da inteligência socioemocional, pouquíssimo desenvolvida no sistema acadêmico mundial. É muito fácil formar feudos e ilhas, criar espaços solitários. Não há como proteger a humanidade e o meio ambiente sem pensarmos como espécie e sem mantermos um romance com a vida.

Se desenvolvessem a inteligência socioemocional, árabes e judeus teriam mais habilidades para superar suas diferenças. Pois, na essência, são iguais. Se pensássemos como espécie, seríamos menos brancos e negros, celebridades e anônimos, ocidentais e orientais, e mais seres humanos apaixonados pela família humana.

A inteligência socioemocional exige também um romance com a vida. Por quê? Porque a vida é belíssima e brevíssima como gotas de orvalho que por instantes aparecem e logo se dissipam aos primeiros raios do sol.

Somos fagulhas vivas que cintilam durante poucos anos no cenário da existência e depois se apagam tão misteriosamente quanto se acenderam. Nada é tão fantástico quanto a vida, mas nada é tão efêmero e fugaz quanto ela.

Hoje estamos aqui, amanhã seremos uma página na História. Um dia, tombaremos na solidão de um túmulo, e ali não haverá aplausos, dinheiro, bens materiais.

Alguns têm fortunas, mas mendigam o pão da alegria; têm cultura, mas lhes falta o pão da tranquilidade; têm fama, mas vivem sós, sem sequer um ombro para chorar; são eloquentes, mas se calam sobre si mesmos; moram em residências confortáveis, mas nunca encontraram o mais importante endereço: dentro de si mesmos. Erraram o alvo.

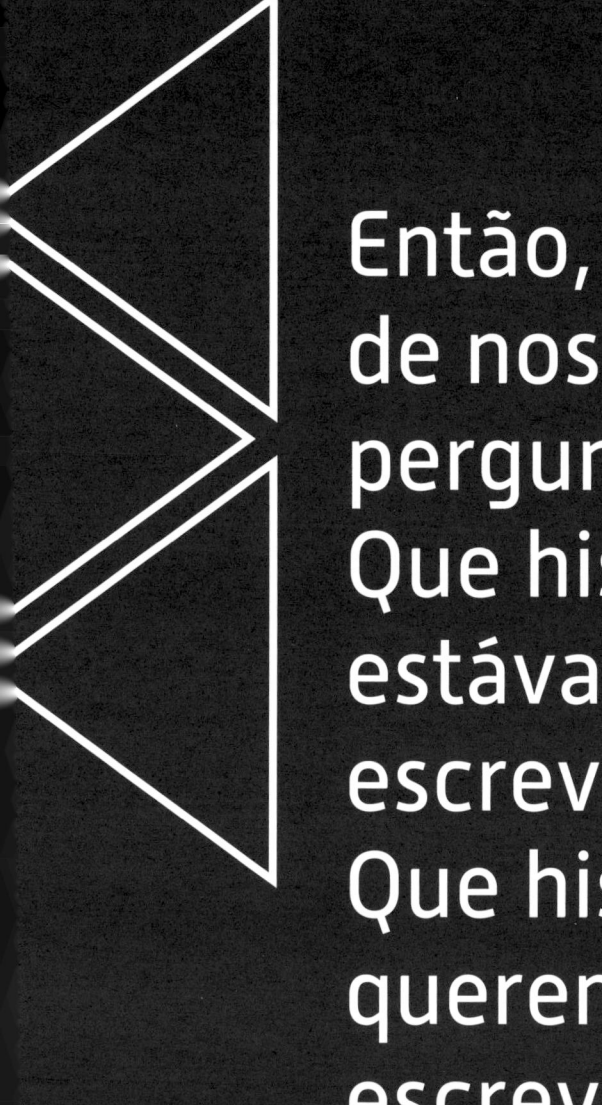

Então, temos de nos perguntar: Que história estávamos escrevendo? Que história queremos escrever? Que legado queremos deixar?

Se viver é uma experiência única, indescritível, inimaginável, extraordinária, complexa, saturada de mistérios e, ao mesmo tempo, regada a fragilidade, deveríamos, nessa curta trajetória existencial, procurar os mais belos sonhos, projetos de vida, aspirações.

Pelo que vale a pena viver? Quais sonhos nos controlam? Que metas assediam nosso Eu?

Procurar desenvolver uma mente livre, uma emoção saudável, relações saudáveis e a sabedoria da mesma forma que o cansado procura o leito e o ofegante busca o ar deveria ser a meta mais nobre de quem quer ser autor da própria história.

Referências

ADORNO, Theodor W. *Educação e emancipação*. Rio de Janeiro: Paz e Terra, 1971.

AYAN, Jordan. *AHA!* – 10 maneiras de libertar seu espírito criativo e encontrar grandes ideias. São Paulo: Negócio, 2001.

BAYMA-FREIRE, Hilda A.; ROAZZI, Antônio. *O ensino público é um desafio para todos*: encontros e desencontros no ensino fundamental brasileiro. Recife: UFPE, 2012.

CAPRA, Fritjof. *A ciência de Leonardo da Vinci*. São Paulo: Cultrix, 2008.

CHAUÍ, Marilena. *Convite à filosofia*. São Paulo: Ática, 2000.

CURY, Augusto. *O código da inteligência*. Rio de Janeiro: Ediouro, 2009.

CURY, Augusto. *Pais brilhantes, professores fascinantes*. Rio de Janeiro: Sextante, 2003.

CURY, Augusto. *Inteligência multifocal*. São Paulo: Cultrix, 1999.

CURY, Augusto. *A fascinante construção do Eu*. São Paulo: Planeta, 2012.

DESCARTES, René. *O discurso do método*. Brasília: UnB, 1981.

DOREN, Charles Van. *A history of knowledge*. New York: Random House, 1991.

FOUCAULT, Michel. *A doença e a existência*. Rio de Janeiro: Folha Carioca, 1998.

FREUD, Sigmund. *Obras completas*. Madri: Editorial Biblioteca Nueva, 1972.

FROMM, Erich. *Análise do homem*. Rio de Janeiro: Zahar, 1960.

GARDNER, Howard. *Inteligências múltiplas:* a teoria na prática. Porto Alegre: Artes Médicas, 1994.

GOLEMAN, Daniel. *Inteligência emocional*. Rio de Janeiro: Objetiva, 1995.

HALL, Calvin S.; LINDZEY, Gardner. *Teorias da personalidade*. São Paulo: EPU, 1973.

HUBERMAN, Leo. *História da riqueza do homem*. Rio de Janeiro: Guanabara, 1986.

JUNG, Carl Gustav. *O desenvolvimento da personalidade*. Petrópolis: Vozes, 1961.

LIPMAN, Matthew. *O pensar na educação*. Petrópolis: Vozes, 1995.

MORIN, Edgar. *Os sete saberes necessários à educação do futuro*. São Paulo: Cortez, 2000.

PIAGET, Jean. *Biologia e conhecimento*. Petrópolis: Vozes, 1996.

SARTRE, Jean-Paul. *O ser e o nada*. Petrópolis: Vozes, 1997.

STEINER, Claude. *Educação emocional*. Rio de Janeiro: Objetiva, 1997.

YUNES, Maria Angela Mattar. *A questão triplamente controvertida da resiliência em famílias de baixa renda*. 2001. Tese (Doutorado em Psicologia da Educação) – Pontifícia Universidade Católica de São Paulo, São Paulo, 2001.

Sobre o autor

A maior aventura de um ser humano é viajar, e a maior viagem que alguém pode empreender é para dentro de si mesmo. E o modo mais emocionante de realizá-la é ler um livro, pois um livro revela que a vida é o maior de todos os livros, mas é pouco útil para quem não souber ler nas entrelinhas e descobrir o que as palavras não disseram...

Augusto Jorge Cury nasceu em Colina, estado de São Paulo, no dia 2 de outubro de 1958. É o psiquiatra mais lido no mundo atualmente, professor, escritor e palestrante brasileiro, autor da Teoria da Inteligência Multifocal. Formado em medicina pela Faculdade de Medicina de São José do Rio Preto, fez pós-graduação na Pontifícia Universidade Católica de São Paulo, PUC-SP, e concluiu seu doutorado internacional em Psicologia Multifocal pela

Florida Christian University no ano de 2013, com a tese "Programa Freemind como ferramenta global para prevenção de transtornos psíquicos". Na carreira, dedicou-se à pesquisa sobre o processo de construção de pensamentos, a formação do Eu, os papéis conscientes e inconscientes da memória, o programa de gestão de emoção e a lógica do conhecimento e o processo de interpretação.

Cury é professor de pós-graduação da Universidade de São Paulo, USP, e tem vários alunos mestrandos e doutorandos. É conferencista em congressos nacionais e internacionais. Foi conferencista no 13º Congresso Internacional sobre Intolerância e Discriminação da Universidade Brigham Young, nos Estados Unidos.

Considerado pelas revistas *IstoÉ* e *Veja*, pelo jornal *Folha de S.Paulo* e pelo instituto Nielsen o autor mais lido das últimas duas décadas no Brasil, seus livros já foram publicados em mais de setenta países e venderam mais de trinta milhões de exemplares apenas no Brasil.

No ano de 2009, recebeu o prêmio de melhor ficção do ano da Academia Chinesa de Literatura pelo livro *O vendedor de sonhos*, adaptado para o cinema em 2016, uma produção brasileira com direção de Jayme Monjardim.

O romance é considerado um *best-seller*, com milhões de cópias vendidas por todo o mundo. O filme se tornou também sucesso de bilheteria e um dos mais vistos da Netflix. O livro discorre, de maneira profunda, sobre os problemas emocionais e psicológicos e sobre as angústias da humanidade. Devido a todo o sucesso dessa obra, Cury escreveu duas sequências: *O vendedor de sonhos e a revolução dos anônimos* (2009) e *O semeador de ideias* (2010). Outros livros serão filmados, como *O futuro da humanidade* e *O homem mais inteligente da história*.

A teoria da Inteligência Multifocal é uma das raras teorias sobre o processo de construção de pensamentos e adotada em algumas importantes universidades. Ela visa a explicar o funcionamento da mente humana e as formas para exercer maior gerenciamento da emoção e do pensamento.

É autor do Escola da Inteligência, o maior programa mundial de educação socioemocional, com mais de 400 mil alunos e que promove desenvolvimento emocional de crianças, adolescentes e adultos. Elaborou o Programa Freemind, 100% gratuito, usado em centenas de instituições e clínicas, ambulatórios e escolas, a fim de contribuir com o desenvolvimento de uma emoção saudável para a prevenção e o tratamento da dependência de drogas. É autor do programa Você é Insubstituível, primeiro programa mundial de gestão da emoção para prevenção de transtornos emocionais e suicídios, também 100% gratuito, adotado por muitas instituições, como a Polícia Federal e a Associação de Magistrados do Brasil, e por uma nova rede social, a Gotchosen, que está disponível sem custos para todo ser humano de qualquer país. Entre na Gotchosen através do convite do Dr. Cury na bio dele do Instagram.